COLECCIÓN
LECTURAS CLÁSICAS GRADUADAS

El Lazarillo de Tormes

Anónimo

Nivel I

edelsa
GRUPO DIDASCALIA, S.A.
Plaza Ciudad de Salta, 3 - 28043 MADRID - (ESPAÑA)
TEL.: (34) 914.165.511 - FAX: (34) 914.165.411

Director de la colección:
A. González Hermoso

***

Adaptador de El Lazarillo de Tormes:
J. Horrillo Calvo

***

La versión adaptada sigue la edición de El Lazarillo de Tormes, Anónimo, Espasa Calpe, Colección Austral, Madrid 1987.

Primera edición: 1996
Primera reimpresión: 1997
Segunda reimpresión: 1998
Tercera reimpresión: 1999
Cuarta reimpresión: 1999
Quinta reimpresión: 2001
Sexta reimpresión: 2001
Séptima reimpresión: 2002
Octava reimpresión: 2003
Novena reimpresión: 2005
Décima reimpresión: 2005
Undécima reimpresión: 2006
Duodécima reimpresión: 2007
Decimotercera reimpresión: 2008

Dirección y coordinación editorial:
Pilar Jiménez Gazapo
Adjunta dirección y coordinación editorial:
Ana Calle Fernández

© 1996, EDITORIAL EDELSA Grupo Didascalia, S. A.

ISBN: 978-84-7711-125-2
ISBN (de la colección): 978-84-7711-103-0
Depósito legal: M-26180-2008
Impreso en España
Printed in Spain

Desde los primeros momentos del aprendizaje del español, el estudiante extranjero se siente atraído por los grandes nombres de la literatura en español, pero, evidentemente, no puede leer sus obras en versión original.

De ahí el objetivo de esta colección de adaptar grandes obras de la literatura en lengua española a los diferentes niveles del aprendizaje: elemental, intermedio, avanzado.

En todos los títulos hay:

- Una breve **presentación** de la vida y obra del autor.

- Una **adaptación** de la obra con las características siguientes:
    - mantener los elementos importantes de la narración y la acción;
    - conservar todo lo más posible las palabras y construcciones del autor según el nivel (I, II, III) de la adaptación;
    - sustituir construcciones sintácticas y términos léxicos que sean difíciles o de poco uso en la actualidad.

- Una **selección** de partes significativas de la obra en su **versión original**. El lector, una vez leída la adaptación, puede seguir así los momentos principales del relato.

- La **lista de palabras** de la obra adaptada, agrupando en la misma entrada a las de la misma familia léxica. El lector puede elaborar así su propio diccionario.

- Una **guía de comprensión lectora** que ayuda a elaborar la **ficha resumen** de la lectura del libro.

Y en algunos títulos hay:

- Una casete audio que permite trabajar la comprensión oral.

- Una casete vídeo en versión original que complementa la lectura.

La colección de **Lecturas clásicas graduadas** pretende que el lector disfrute con ellas y que de ahí pase a la obra literaria íntegra y original.

E
l

L
a
z
a
r
i
l
l
o

El Lazarillo de Tormes, **una novela picaresca**

El Lazarillo de Tormes es la primera obra de uno de los géneros más representativos de la literatura española del siglo de oro (XVI): la llamada *novela picaresca.*

Se llama *picaresca* por el protagonista de todas estas novelas: *el pícaro,* que es un vagabundo solitario, que pasa por la vida con desprecio e ironía, engaña y hace todas las trampas que puede para salir adelante, sufre penas y espera poco de los demás.

Este género nace, en parte, como contraste con las novelas pastoriles y las de caballerías*, que estuvieron de moda anteriormente.

Las principales novelas picarescas, además de *El Lazarillo,* son *Guzmán de Alfarache* (de Mateo Alemán y *El Buscón*** (de Quevedo).

Las características de este género, además de tener al pícaro como protagonista, son: la forma autobiográfica, la intención satírica, el afán de enseñar y moralizar y un gran pesimismo.

El Lazarillo de Tormes

El Lazarillo es una obra anónima, es decir, no sabemos quién fue su autor. Presenta un cuadro muy expresivo de la sociedad de la España del siglo XVI. El protagonista, Lázaro, es el pícaro por excelencia y constituye un mito literario. Incluso, a partir de su oficio de guía de un ciego, la palabra *lazarillo* designa hoy en castellano a la persona o animal que guía a otra que necesita ayuda.

La novela es autobiográfica y está escrita en forma de carta. En ella nos cuenta su vida y aventuras de juventud.

El Lazarillo consta de un prólogo y siete tratados o capítulos de longitud muy desigual. Los tres primeros son largos y cuentan detenidamente las aventuras de Lázaro con sus tres primeros amos: el ciego, el clérigo y el escudero. A partir de ahí la acción va más rápida. Los tratados cuarto y sexto son muy breves, el quinto es más extenso y el séptimo, en el que acaba la obra de un modo muy brusco, es también muy rápido y breve.

Lázaro es astuto y observador, pero no es sinvergüenza ni comete malas acciones. Nos cae simpático desde el principio. Es listo y su inteligencia es su única arma. Pasa hambre y a veces le tratan mal, pero es un ser generoso.

Al final se vuelve un hombre práctico. Tiene una oportunidad de situarse y de escalar en la sociedad y lo hace. No le importan las apariencias ni la honra, pero sí tiene un cierto sentido de la dignidad personal.

El episodio más famoso de la obra es, quizás, el de Lázaro y el ciego.

Nota de la Editorial:

* Véase, en esta misma colección, introducción a *Don Quijote de la Mancha* (I y II) sobre las novelas de caballerías.

** *El Buscón* está también en esta colección.

za ~~ze~~ ci ꝏ zu
  ce   zo

además : ~~f~~ other than, aside from,
   ex. además de tener besides,
                 further-
autor vs lector   more

cuadro: work - of art, lit.
el protagonista: main character
= pícaro: Don Juan

ciego: blind?

breve vs. corto:
  short (time)
    short (size)
almost:

Obra

Adaptada

PRÓLOGO

M

e han sucedido aventuras extraordinarias que quizás no se han visto ni oído antes. Por eso quiero que las conozca mucha gente. Porque algunas personas pueden encontrar divertida su lectura. Todos los libros, incluso los malos, tienen alguna cosa buena. Todas las personas no tienen los mismos gustos y lo que no les agrada a unos, a otros sí. Por eso, no se debería perder nada sino contar todo, sobre todo si de lo que se cuenta se puede sacar algún provecho. Los escritores escriben con este fin y no para ellos mismos. Y ya que lo hacen con mucho trabajo quieren tener su recompensa[1]. No desean dinero sino la admiración de los lectores si el libro verdaderamente lo merece.

Si alguien lee y se divierte con este libro de poco valor, mejor. Está escrito en humilde estilo[2] y en él se cuenta la historia de un hombre que ha vivido muchas penas y peligros.

Le envío, pues, a vuestra merced[3], el libro que he escrito lo mejor que he podido. Y, como desea cono-

[1] *recompensa:* premio.

[2] *estilo:* aquí, manera de escribir de un escritor.

[3] *vuestra merced:* fórmula antigua y cortés de tratamiento.

V. O. nº 1 en pág. 51

cer todos los detalles, he comenzado la historia desde el principio. Así lo sabrá todo sobre mí. Y se verá también que tienen más mérito las personas que
consiguen algo con trabajo e inteligencia que las
que lo consiguen por suerte.

saber: future
sabré, sabrás, sabrá, sabremos,
sabreis, sabrán

TRATADO[4] PRIMERO

Lázaro cuenta su vida y de quién fue hijo

o primero que quiero decirle a vuestra merced es que me llaman Lázaro de Tormes[5]. Nací dentro del río Tormes, por eso tengo el sobrenombre[6]. Como mi padre trabajaba en un molino[7] junto al río, mi madre me trajo al mundo allí una noche. Así que de verdad puedo decir que nací en el río.

V. O. nº 2 en pág. 51

Era yo un niño de ocho años, cuando acusaron a mi padre de robar a las personas que venían al molino. Así que le metieron en prisión. Luego le llevaron a la guerra y allí murió.

Mi madre, viuda[8], se fue a vivir a la ciudad. Allí hacía de comer a algunos estudiantes y lavaba la ropa a algunos mozos[9] que cuidaban los caballos de un noble. De esta manera conoció a un hombre de color negro. Éste venía algunas noches a casa y se iba por la mañana. Yo al principio le tenía miedo por el color y la mala cara, pero luego le fui queriendo porque traía pan, carne y leña[10] para el fuego en invierno.

[4] *tratado:* aquí, capítulo.

[5] *Tormes:* río que pasa por la ciudad de Salamanca (Comunidad de Castilla y León).
[6] *sobrenombre:* epíteto que se añade a otro nombre.
[7] *molino:* lugar donde se muele el grano de cereal.

[8] *viuda:* mujer a la que se le ha muerto el marido.
[9] *mozo:* muchacho; hombre joven.

[10] *leña:* madera para hacer fuego.

Así mi madre me dio un hermanito negro muy bonito y yo jugaba con él.

Pronto se enteró el noble de la relación de mi madre con el negro y de que éste robaba la mitad de la comida de los caballos para ayudar a mi madre a criar[11] a mi hermanito.

[11] *criar:* alimentar y educar.

enterarse:
find out?

to take care of

Cuando me preguntaron, yo como niño conté todo lo que sabía por miedo. Y a mi madre la echaron de casa.

Ella entonces se fue a servir[12] a un mesón[13]. Allí con mucho trabajo, se acabó de criar mi hermanito y yo me hice un buen mozo haciendo todo lo que me mandaban.

[12] *servir:* aquí, trabajar para una persona.
[13] *mesón:* lugar donde se comía y se dormía.

***

En este tiempo vino a vivir al mesón un ciego[14]. Al conocerme pensó que yo sería un buen guía para él. Así se lo dijo a mi madre y ella aceptó. Le dijo que yo no tenía padre y le pidió que me tratase bien. Él respondió que así lo haría y que yo sería para él como un hijo. De esta manera comencé a servir y a guiar a mi nuevo amo[15].

[14] *ciego:* persona que no puede ver.
[15] *amo:* persona a la que se sirve.

V. O. nº 3 en pág. 51

Como el ciego decidió marcharse de allí, yo fui a ver a mi madre y llorando los dos me dijo:

-Hijo, ya sé que no te veré más. Sé bueno y que Dios te guíe. Te he criado y te dejo con un buen amo.

Y así, me fui con mi amo que me estaba esperando.

***

Salimos de Salamanca y llegamos al puente que tiene un animal de piedra en forma de toro en la entrada. El ciego me dijo:

-Lázaro, acerca el oído a este toro y oirás un gran ruido dentro de él.

Yo me acerqué creyendo que así era. Pero cuando el ciego pensó que yo ya tenía la cabeza al lado de la piedra, me dio contra ella un golpe que me dolió más de tres días. Y me dijo:

-Tonto, aprende que el guía del ciego tiene que saber más que el diablo.

Y se rio mucho.

En aquel momento me pareció despertar de la simpleza[16] de niño y me dije: «Tiene razón mi amo y debo abrir el ojo»[17].

[16] *simpleza:* inocencia.
[17] *abrir el ojo:* aquí, tener cuidado para que a uno no le engañen.

V. O. nº 4 en pág. 51

***

Seguimos nuestro camino y en pocos días me enseñó el lenguaje de los ciegos. Como vio que yo era ingenioso[18], me decía muy contento:

[18] *ingenioso:* aquí, persona que aprende con rapidez.

-Yo no te puedo dar ni oro ni plata, pero sí muchos consejos para la vida.

Y así fue. Dios me dio la vida y el ciego me enseñó la manera de triunfar en ella.

Me paro a contarle estas cosas de niños para que vea cuánto valen los hombres pobres que triunfan en la vida y qué poco los ricos que lo pierden todo por sus malas costumbres.

[19] *astuto:* persona hábil para engañar o evitar el engaño.
[20] *oficio:* profesión, trabajo.
[21] *rezar:* decir oraciones a Dios.

Pero volviendo a nuestra historia le diré que mi amo el ciego era el hombre más astuto[19] que he conocido desde que Dios creó el mundo. No había nadie mejor que él en su oficio[20]. Sabía de memoria más de cien oraciones. Rezaba[21] en la iglesia con una voz suave, y lo hacía con cara humilde.

Además de esto tenía otras mil formas de sacar el dinero a la gente. Sabía oraciones para todo. Para mujeres que no podían tener hijos y para las que estaban a punto de tenerlos. Para las infelices que deseaban más amor de sus maridos. Para las que esperaban un hijo adivinaba si iba a

[22] *Galeno:* médico famoso de la antigüedad.

ser niño o niña. Decía que sabía de medicina más que Galeno[22]. Tenía la solución para todo tipo de dolor.

[23] *avaro:* persona que desea enormemente poseer dinero para guardarlo.
[24] *hacer burlas de alguien:* aquí, engañar a alguien.

De esta manera, todo el mundo buscaba su consejo, sobre todo las mujeres. Y así ganaba más en un mes que cien ciegos en un año. Pero con todo lo que ganaba era el hombre más avaro[23] que he visto. A mí no me daba ni la mitad de lo necesario y me mataba de hambre. Sólo he sobrevivido gracias a mi astucia. Él era muy listo, pero yo casi siempre hacía burlas[24] de él. Contaré algunas de las cosas que le hice, aunque no todas me salieron bien.

V. O. nº 5 en pág. 52

***

[25] *fardel:* especie de saco o bolsa de tela.
[26] *coser:* unir con hilo.

Mi amo guardaba el pan y todas las demás cosas en un fardel[25] que se cerraba con llave. Metía y sacaba las cosas con mucho cuidado de manera que era imposible coger algo. Lo poco que me daba me lo comía en un instante. Después él cerraba el fardel y se quedaba tranquilo. Entonces yo lo descosía por un lado, sacaba algo para comer y volvía a coserlo[26].

[27] *jarro:* recipiente de barro para meter agua o vino.

Cuando comíamos solía tener a su lado un jarro[27] de vino. Yo con mucha rapidez lo cogía, bebía un poco y lo dejaba otra vez en su sitio. Pero él pronto se dio cuenta de que faltaba vino y desde entonces no soltaba el jarro. Para seguir bebiendo, yo metía en-

V. O. nº 6 en pág. 52

[28] *paja:* especie de caña estrecha.

[29] *agujero:* hueco.

[30] *cera:* materia blanda y fundible.

Morirse de ganas

[31] *derretirse:* deshacerse un sólido en líquido por causa del calor.

Straw?

tonces por la boca del jarro una paja[28] larga. Pero como era tan astuto creo que se dio cuenta y puso el jarro entre sus piernas para estar más seguro. Yo estaba acostumbrado a beber vino, así que me moría de ganas. Como lo de la paja ya no servía, decidí hacer un agujero[29] en la parte de abajo del jarro. Después lo tapé con mucho cuidado con un poco de cera[30].

A la hora de comer yo le decía que tenía frío y me ponía entre sus piernas para calentarme en el fuego. Con el calor la poca cera se derretía[31]. Entonces el vino salía por el agujero y yo ponía la boca. Cuando el ciego iba a beber no encontraba nada. Entonces se ponía furioso porque no sabía la razón.

-No dirá que soy yo quien se lo bebe -le decía- porque no quita la mano del jarro un momento.

Él dio tantas vueltas al jarro que al final encontró el agujero y comprendió el engaño, pero no dijo nada.

Al día siguiente, inocentemente, me senté entre sus piernas como de costumbre. Comencé a beber con los ojos un poco cerrados. Entonces él levantó el jarro y lo dejó caer con todas sus fuerzas sobre mi boca. Yo, que no me lo esperaba, creí que el cielo me caía encima.

V. O. nº 6 en pág. 52

El golpecito fue tan fuerte que perdí el sentido. Los trozos del jarro se me metieron por la cara y me quedé sin dientes. Yo desde aquel momento quise mal al mal ciego. Me lavó con vino las heridas que me había hecho y sonriendo me dijo:

-¿Qué te parece, Lázaro? El vino antes te hizo daño y ahora te cura.

Cuando empecé a sentirme mejor decidí tratarle como él me había tratado; pero esperé un poco. Él desde aquel día, sin causa ni razón, no paraba de darme golpes en la cabeza.

***

Desde entonces, para hacerle daño yo siempre le llevaba por los peores sitios. Yo le decía que no había otro camino, pero el traidor[32] no me creía.

Para que vuestra merced vea lo muy astuto que era, le contaré una de las muchas aventuras que me sucedieron con él.

Habíamos dejado Salamanca para ir hacia Toledo, porque decía que allí la gente era más rica y generosa.

En el camino llegamos a un pueblo, en el tiempo de la vendimia[33]. Uno de los hombres que cogían las

[32] *traidor:* desleal.

[33] *vendimia:* recogida de la uva en el campo.

V. O. nº 7 en págs. 52-53

34 *racimo:* conjunto de uvas.

uvas le dio un racimo[34] al ciego. Nos sentamos y me dijo:

-Lázaro, quiero compartir contigo este racimo de uvas. Para comerlas tú cogerás una y yo otra cada vez. Así no habrá engaño.

Comenzamos a comer; pero pronto el traidor comenzó a coger las uvas de dos en dos. Sin duda pensaba que yo estaba haciendo lo mismo. Como vi que él no respetaba lo dicho, yo tampoco. Así que las comía primero como él de dos en dos y luego de tres en tres. Acabamos el racimo y él, moviendo la cabeza, dijo:

-Lázaro, me has engañado. Has comido las uvas de tres en tres.

-No es cierto -dije yo-. ¿Por qué dice esto?

El muy astuto ciego respondió:

-Sé que las comiste de tres en tres porque yo las comía de dos en dos y tú no decías nada.

Me reí para mí y me di cuenta de lo listo que era mi amo.

V. O. nº 7 en págs. 52-53

Para no alargar la historia no le cuento a vuestra merced otras muchas aventuras que me sucedieron con mi primer amo. Sólo le contaré la última.

***

[35] *longaniza:* especie de chorizo largo y estrecho.

Una vez estábamos en el mesón de un pueblo. Mi amo me dio un trozo de longaniza[35] para poner en el fuego. Luego sacó una moneda y me mandó a buscar vino.

[36] *nabo:* raíz comestible de cierta planta.

En ese instante vi un nabo[36] pequeño al lado del fuego. Mi amo y yo nos encontrábamos solos. Con gran rapidez saqué la longaniza del fuego y puse el nabo en su lugar. El ciego comenzó a darle vueltas al fuego creyendo que era la longaniza.

Yo fui a buscar el vino y en el camino me la comí. Al volver encontré a mi amo a punto de comerse el nabo entre dos trozos de pan. Al morder se dio cuenta de que no era la longaniza; muy enfadado dijo:

-¿Qué es esto, Lazarillo?

-Infeliz de mí. ¿Por qué se enfada conmigo? ¿No vengo yo de comprar el vino? Habrá sido alguien que andaba por aquí.

-No, no. No es posible.

Yo seguí negando, pero no sirvió de nada. El astuto ciego lo adivinaba todo. Entonces se levantó, me cogió por la cabeza y se acercó a mí. Me abrió la boca y metió su nariz dentro.

El miedo y su nariz me pusieron tan mal el estómago que la longaniza salió otra vez de mi boca.

[37] *acudir:* ir.

En aquel momento yo prefería estar bajo tierra. Sólo gracias a la gente que acudió[37] al oír el ruido, salvé la vida.

El mal ciego se puso a contar todas mis aventuras; la del jarro, la del racimo y la presente. Todos reían tanto que la gente de la calle entraba a ver la fiesta. La verdad es que el ciego contaba las historias con mucha gracia.

Algunas de las personas que estaban en el mesón me lavaron la cara con el vino que había traído al ciego, mientras éste decía:

-Este mozo gasta más vino en lavarse en un año que el que yo bebo en dos.

Luego contaba las veces que me había hecho daño y después me había curado con el vino. Y todos se reían mucho.

Por todas éstas burlas decidí dejarle definitivamente. Hacía tiempo que pensaba en ello y esta última aventura me convenció del todo.

***

[38] *limosna:* lo que se da a los pobres para ayudarlos.
[39] *portales:* aquí, soportales, arcos en los lados de las calles o plazas.

Al día siguiente salimos a pedir limosna[38] por el pueblo. La noche antes había llovido mucho y durante el día no dejó de llover. Así que nos metimos debajo de unos portales[39]. Al llegar la noche, como no paraba de llover, me dijo el ciego:

-Lázaro, esta lluvia no para. Vámonos al mesón antes de que sea más tarde.

[40] *arroyo:* pequeño río.

Para ir allí teníamos que pasar un arroyo[40]. Con la lluvia llevaba mucha agua. Yo le dije:

-El arroyo es muy ancho. Voy a buscar un sitio más estrecho para poder pasar y no mojarnos.

Le pareció muy bien el consejo y dijo:

-Eres listo. Por eso te quiero bien. Llévame hasta ese lugar para pasar. Ahora es invierno y no hay que mojarse los pies.

Era la ocasión deseada. Le saqué de los portales y le

[41] *pilar:* poste de piedra, aquí, para señalar los caminos.

llevé enfrente de un pilar[41] que estaba en la plaza y le dije:

V. O. nº 8 en págs. 53-54

-Éste es el paso más estrecho del arroyo. Como llovía fuerte y tenía prisa, se lo creyó y dijo:

-Ponme en el buen sitio y salta tú.

Yo le coloqué exactamente enfrente del pilar, salté al otro lado, me pusé detrás y le dije:

-¡Vamos, salte!

No había acabado de decirlo cuando el pobre ciego dio un gran salto y fue a dar con la cabeza en el poste de piedra. Enseguida cayó hacia atrás medio muerto y con la cabeza abierta.

Yo le dije entonces:

[42] *oler:* acción de percibir olores.

-¿Cómo olió[42] la longaniza y el poste no?

[43] *socorrer:* ayudar.

Y allí le deje en medio de la gente que había ido a socorrerle[43]. Yo salí corriendo y antes de la noche llegué a otro pueblo cercano. Nunca más supe del ciego, ni me preocupó saberlo.

V. O. nº 8 en págs. 53-54

TRATADO SEGUNDO

Lázaro cuenta su vida con un clérigo[44] y las cosas que le pasan con él

l día siguiente me fui a otro pueblo porque allí no me sentía seguro. Por mala suerte me encontré con un clérigo que me tomó a su servicio.

[44] *clérigo:* cura.

Así salí de una mala situación para caer en otra peor. En efecto, comparado con éste, el ciego era un hombre generoso. El clérigo era el hombre más miserable del mundo.

[45] *arca:* caja grande de madera.

Tenía un arca[45] vieja cerrada con llave que llevaba siempre con él. En ella guardaba el pan que la gente ofrecía en la iglesia. En toda la casa no había nada que comer. No como en otras en las que siempre suele haber un trozo de queso o de pan.

[46] *cebolla:* planta comestible de fuerte olor.

Solamente había cebollas[46] en una habitación cerrada con llave. Yo tenía derecho a comerme una cada cuatro días. Cuando le pedía la llave para ir a buscarla me la daba diciendo:

-Toma y devuélvemela enseguida.

V. O. nº 9 en pág. 54

Al escucharle podía creerse que aquella habitación estaba llena de cosas buenas. Y lo único que había eran cebollas que el clérigo tenía bien contadas. Por eso era imposible coger más de una. Así que yo me moría de hambre.

Es verdad que compartía conmigo la sopa, pero la carne era toda para él. Algunas veces después de comérmela me daba los huesos diciendo:

-Toma, come, que para ti es el mundo. Tienes mejor vida que el Papa.

Después de tres semanas de vivir con él estaba tan débil que no podía tenerme de pie. Vi que me moría si Dios y mi inteligencia no ponían remedio[47]. Pero a éste no podía robarle nada porque todo lo veía.

[47] *poner remedio:* solucionar.

En la iglesia cuando yo recogía el dinero tenía un ojo en la gente y otro en mis manos. Durante el tiempo que viví con él, o mejor dicho, morí, nunca fui capaz de robarle una sola moneda. Nunca me mandó a buscar vino porque con lo que cogía de la misa tenía para toda la semana. Y para ocultar su mezquindad me decía:

-Los clérigos sólo deben comer y beber lo necesario; como hago yo y no como otros.

Pero el miserable mentía porque en las ocasiones en las que él no tenía que pagar, comía y bebía sin parar.

Muchas veces pensé dejar a aquel amo miserable. Pero no lo hice por dos razones: la primera porque no tenía fuerzas a causa del hambre; y la segunda, porque pensaba:

[48] *sepultura:* lugar en el que se pone a los muertos.

«Yo he tenido dos amos: el primero me mataba de hambre y éste me tiene ya casi en la sepultura[48]. Si le dejo y encuentro otro peor, será mi muerte segura».

***

[49] *calderero:* persona que hace o arregla objetos de metal.

Estaba yo con estas penas cuando, como enviado por Dios, llamó a la puerta un calderero[49]. Me preguntó si tenía algo que arreglar. Mi amo no estaba, así que yo le dije:

-He perdido la llave de esta arca. Mire si tiene alguna que la pueda abrir.

V. O. nº 11 en pág. 54

El calderero empezó a probar todas las llaves hasta que una abrió el arca y aparecieron los panes.

-Yo no tengo dinero para pagarle la llave -le dije-, pero puede coger un pan como pago.

Él tomó el pan que más le gustó y dándome la llave se marchó muy contento.

Yo no toqué nada en el arca por el momento para que no se notase la falta. Mi amo volvió y no se dio cuenta de nada.

***

Al día siguiente salió de casa. Entonces yo abrí el paraíso[50] de los panes. Cogí uno y me lo comí rápidamente. Cerré el arca y muy feliz comencé a limpiar la casa. Había encontrado solución a mi triste vida.

[50] *paraíso:* cielo. Aquí, lugar muy agradable.

Pero aquella felicidad no podía durar mucho tiempo. De repente mi amo, un día, abrió el arca y comenzó a contar los panes.

Después de mucho contar y volver a contar los panes dijo:

-No comprendo lo que pasa. Tengo el arca bien guardada pero creo que faltan panes. Para estar seguro llevaré la cuenta a partir de hoy. Quedan nueve panes y un trozo.

Sus palabras me rompieron el corazón y comencé a tener hambre pensando en el hambre pasada.

Mi amo salió de casa y yo, para consolarme, abrí el arca. Conté los panes pensando que podía haberse equivocado. Pero su cuenta era exacta.

El hambre no me dejaba, así que no paraba de abrir y cerrar el arca y mirar el pan. En esto Dios, que no abandona a los humildes, trajo a mi memoria la solución: «Como el arca está vieja, mi amo puede pensar que son ratones los que entran en ella y se comen el pan. Lo único que tengo que hacer es no comerme uno entero porque lo notaría».

[51] *migas:* pequeños trozos de pan.

Empecé a sacar migas[51] de varios panes. Me las comí y me sentí mejor.

Al volver mi amo a comer a casa, abrió el arca y vio el daño. Sin duda creyó que eran ratones. Me llamó y me dijo:

-¡Lázaro! Alguien ha entrado esta noche en el arca.

Yo, haciéndome el sorprendido, le pregunté quién podía ser.

-¿Quién? -dijo él -, pues ratones sin duda.

Nos pusimos a comer y ese día comí más pan que de costumbre. Mi amo cortó con un cuchillo la parte que, según él creía, habían tocado los ratones.

-Cómete esto -me dijo-, los ratones son muy limpios.

Luego cerró todos los agujeros del arca con trozos de madera y dijo:

-Ahora, ladrones ratones, tendréis que cambiar de casa.

En cuanto salió de casa fui a ver el arca. No había dejado un solo agujero abierto.

Pero dicen que el hambre despierta el ingenio y así debió de ser.

***

Una noche que mi amo dormía, yo me levanté sin hacer ruido. Como la madera del arca era muy vieja fue fácil hacer otro agujero donde no había puesto tablas. Luego abrí el arca con mi llave y cogí un poco de pan. Cerré de nuevo y volví a mi cama.

Al ver el daño al día siguiente mi amo se puso furioso con los ratones. Todos los agujeros que él cerraba de día, yo los abría de noche.

[52] *ratonera:* aparato para matar ratones.

El clérigo veía que la vieja arca no tenía solución. Así que decidió poner una ratonera[52] dentro. Para atraer a los ratones puso en ella trozos de queso. Yo estaba feliz porque ahora podía comer pan y queso.

Como el pan y el queso desaparecían todos los días sin coger al ratón, mi amo estaba furioso.

***

Un vecino le dijo que en su casa no había ratones sino una culebra[53], por eso la ratonera no la cogía.

Desde entonces el clérigo no pudo dormir tranquilo. Cualquier ruido le parecía que era la culebra comiéndose el arca. Se levantaba pero no encontraba nada.

Así la culebra, por miedo, no comía de noche sino de día mientras el clérigo estaba en la iglesia.

Yo pensé que mientras buscaba la culebra podía encontrar la llave que yo guardaba debajo de mi cama. Así que decidí meterla por la noche en mi boca. Era el sitio más seguro.

Pero no sirve luchar contra la mala suerte. Una noche yo estaba dormido y tenía la boca abierta. Al respirar el aire pasaba por el agujero de la llave y ésta silbaba[54]. Mi amo lo oyó y creyó sin duda que era la culebra.

Se levantó y se acercó a mí sin hacer ruido, con un palo de madera en la mano. Pensó que la culebra estaba en mi cama y levantó el palo y me dio un golpe tan fuerte que me dejó medio muerto.

Se dio cuenta de que me había hecho daño y fue corriendo a buscar luz. Al verme con la llave todavía en la boca se quedó sorprendido. Vio que era

[53] *culebra:* serpiente.

[54] *silbar:* producir un ruido agudo con el aire.

V. O. nº 13 en págs. 55-56

igual que la suya. Fue a probarla en el arca y comprendió toda la historia de los ratones y la serpiente.

***

Después de tres días recuperé el sentido.

-¿Qué ha pasado? -dije.

El clérigo respondió:

-Pues que ya he cogido al ratón y a la culebra que se comían los panes.

Al día siguiente mi amo me cogió por la mano, me puso en la calle y me dijo:

-Lázaro, desde hoy ya no trabajas para mí. Busca amo y vete con Dios.

Y dicho esto, entró en casa y cerró la puerta.

TRATADO TERCERO

Lázaro cuenta su vida con un escudero[55], y lo que le ocurrió con él

e esta manera fui a parar a la conocida ciudad de Toledo. Allí terminé de curarme del todo.

Un día que estaba pidiendo limosna de puerta en puerta, me encontré con un escudero en la calle. Me miró y me dijo:

[55] *escudero:* sirviente que lleva el escudo y asiste al caballero.

-Muchacho, ¿buscas amo?

-Sí, señor -le dije yo.

-Pues ven conmigo -me respondió.

Yo le seguí porque creía que era el amo que yo necesitaba.

V. O. n° 14 en pág. 56

***

Era por la mañana y yo le seguí por gran parte de la ciudad. Pasamos por las plazas donde se vendía pan y otros alimentos. Yo creía que pasábamos por allí para comprar algunas cosas. Pero sin comprar nada él pasó deprisa por allí. «Quizás no le gusta lo que hay aquí -pensaba yo- y quiere comprar en otro sitio».

Estuvimos andando hasta las once. Entonces entró en la iglesia mayor y yo detrás de él. Oyó misa[56] y luego salimos de la iglesia.

Bajamos deprisa una calle. Yo iba muy feliz porque no habíamos tenido que comprar para comer. Pensaba que la comida ya estaría preparada en su casa esperándonos.

En el momento en que el reloj daba la una del mediodía llegamos a su casa. La entrada era tan oscura y triste que daba un poco de miedo. Dentro había un pequeño patio[57] y grandes habitaciones.

Entramos y mi amo se quitó su capa[58]. Se sentó durante un buen rato y me preguntó de dónde era y cómo había llegado a aquella ciudad. Yo se lo conté pensando que aquella hora era mejor para comer que para hablar. Yo le conté lo bueno y callé lo malo.

Así estuvimos durante un buen rato. Eran ya casi las dos y aquel hombre no parecía tener ningún interés por comer. Todo aquello era un poco raro porque tampoco se oía en toda la casa ruido de otras personas. En la casa no se veían ni sillas, ni mesas ni tampoco un arca como la del clérigo. Sólo paredes. En esto me dijo:

-Tú, mozo, ¿has comido?

-No, señor -dije yo-. Todavía no eran las ocho cuando me encontré con vuestra merced.

-Pues a esa hora yo ya había comido. Y cuando como algo por la mañana ya no vuelvo a hacerlo hasta la noche. Así que espera y luego cenaremos.

Al oír esto casi me caigo al suelo al comprender mi mala suerte. Me acordé en ese momento de mis penas pasadas y lloré. Recordé que no quería dejar al clérigo por no encontrar otro amo peor. Lloré mi vida pasada y mi próxima muerte. Pero, disimulando[59] lo que sentía, le dije:

[59] *disimular:* ocultar.

-Señor, gracias a Dios soy un mozo que no se preocupa mucho por comer. Por esta razón me quisieron los otros amos.

-Eres un buen muchacho -dijo él- y por eso yo te querré más. Los hombres de bien no deben comer demasiado.

-«Maldito sea, todos los amos que encuentro son iguales. Todos creen que el hambre es cosa buena».

V. O. nº 15 en págs. 56-57

Entonces saqué unos trozos de pan que me habían dado como limosna. Él, al verlo, me dijo:

-Ven aquí, mozo. ¿Qué comes?

Yo me acerqué a él y le enseñé el pan. Cogió el trozo mejor y más grande y me dijo:

-Éste parece buen pan.

Y comenzó a comérselo con muchas ganas. Así comprendí que tenía mucha hambre.

Cuando terminó de comer entró en una pequeña habitación y sacó un jarro. Bebió primero y luego me lo dio a mí. Yo le dije:

-Señor, no bebo vino.

-Es agua -me respondió.

Entonces tomé el jarro y bebí un poco. Estuvimos hablando hasta la noche. Luego entramos en la habitación y me dijo:

-Vamos a hacer la cama y así mañana sabrás hacerla tú solo.

Yo me puse en un lado y él en otro e hicimos la cama. Había poco que hacer porque sólo tenía un colchón[60] viejo y sucio. Cuando terminamos me dijo:

[60] *colchón:* especie de saco blando que se pone encima de la cama para dormir.

-Lázaro, ya es tarde y la plaza está lejos de aquí. Además en esta ciudad hay muchos ladrones. Pasaremos aquí la noche y mañana veremos. Yo, como estaba solo en casa, no tengo nada para comer.

-Señor -dije yo-, no se preocupe por mí. Sé muy bien pasar varias noches sin comer.

-Así vivirás más y mejor -me contestó -, porque no hay cosa mejor en el mundo para vivir mucho tiempo que comer poco.

-«Si es así -dije para mí- yo no moriré nunca porque siempre he seguido esa costumbre a la fuerza y creo que tendré que seguirla toda mi vida».

Se acostó en la cama y me mandó acostarme a sus pies. Pero no pude dormir en toda la noche porque la cama estaba muy dura y además me moría de hambre.

***

A la mañana siguiente nos levantamos y yo le ayudé a limpiar su ropa. Luego se vistió muy despacio. Al ponerse su espada me dijo:

-¡No sabes, mozo, qué espada es ésta! No la cambiaría por todo el oro del mundo.

Y con paso lento y el cuerpo muy derecho, moviendo gentilmente la cabeza, y con la capa sobre el hombro, salió por la puerta diciendo:

-Lázaro, cuida la casa que yo voy a misa. No te olvides de cerrar la puerta con llave por los ladrones.

Y él subió la calle. Iba tan elegante que la gente podía pensar que era algún personaje importante. Viéndole cualquiera creerá que mi amo cenó bien anoche y que durmió en una buena cama. Nadie creerá que lo único que comió ayer fue un trozo de pan duro que le dio su criado Lázaro. Nadie sin duda lo adivinará. ¡Cuantas personas habrá como mi amo en el mundo!

En estas cosas pensaba yo mientras mi amo desaparecía calle arriba. Entonces entré y arreglé la casa en poco tiempo. Quise barrer[61] pero no encontré con qué. Luego decidí esperar a mi amo pensando que traería algo para comer.

[61] *barrer:* quitar el polvo, la basura del suelo con la escoba.

Dieron las dos y él no había vuelto. Como tenía mucha hambre salí de casa a pedir limosna. Pedía pan por las puertas de las casas más ricas con voz suave. Yo había aprendido bien este oficio con mi gran maestro el ciego.

En este pueblo la gente no era muy generosa. Pero antes de las cuatro ya había ganado varios trozos de pan. De vuelta a casa pasé por la calle de los vendedores y uno me dio unas pocas tripas[62].

[62] *tripas:* interior del vientre.

Cuando llegué a casa mi amo ya estaba allí paseándose por el patio. Al verme vino hacía mí. Yo creía que estaba enfadado por llegar tarde. Pero no. Me preguntó de dónde venía y yo le dije:

-Señor, estuve aquí hasta las dos. Y cuando vi que no venía, salí por la ciudad a pedir limosna y esto es lo que me han dado.

Le enseñé el pan y las tripas y él puso buena cara. Y me dijo:

-Pues yo te he esperado para comer y como no venías, comí. Pero tú has hecho bien. Más vale pedir en nombre de Dios que robar.

Me senté y comencé a comer en silencio mis tripas y mi pan. Mi amo no apartaba sus ojos de mí. Yo comprendía muy bien lo que sentía porque yo había sentido lo mismo muchas veces. Quería invitarle, pero no me atrevía porque había dicho que ya había comido.

Finalmente se acercó a mí y me dijo:

-La verdad, Lázaro, viéndote comer me han entrado ganas a mí también.

-Señor -le dije yo -, este pan y estas tripas están riquísimas.

-¿Son tripas?

-Sí, señor.

-Es la mejor comida del mundo.

-Pues tenga y verá qué tal están.

Le di algunas tripas y tres o cuatro trozos de pan de lo más blanco. Se sentó a mi lado y se lo comió, sin dejar una miga.

-He comido con tantas ganas que parece que no he probado bocado en todo el día.

-«Desde luego» -dije yo para mí.

Bebimos agua del jarro y nos fuimos a dormir muy contentos.

Y para no alargar mucho la historia le diré que estuvimos ocho o diez días así.

***

Yo me daba cuenta de mi mala suerte. Había dejado a mis malos amos anteriores para buscar algo mejor. Y había encontrado uno que no sólo no me daba de comer sino al que yo tenía que alimentar. Pero yo le quería bien porque veía que no tenía nada. Por eso me daba pena.

-«Éste -decía yo -es pobre y nadie da lo que no tiene. Al contrario del ciego y el clérigo. Ellos sí tenían y sin embargo me mataban de hambre».

[63] *presunción:* aquí, orgullo excesivo.

Lo único que no me gustaba de él era su gran presunción[63]. Pero creo que es la costumbre de su clase social.

De esta manera estuve algunos días con mi tercer y pobre amo, que fue este escudero.

***

Un día que habíamos comido bien y estaba bastante contento, me contó su vida. Me dijo que era de Castilla la Vieja. Había dejado su tierra porque un día se negó a quitarse el sombrero para saludar a un caballero[64] vecino suyo.

[64] *caballero:* aquí, persona que pertenece a la clase noble.

-Señor -dije yo- ante las personas más importantes hay que saludar primero.

-Sí, es cierto; pero yo me quité muchas veces el sombrero primero y él no lo hizo nunca.

-Creo, señor -le dije yo- que siempre hay que saludar primero a la gente que tiene más edad y más dinero.

[65] *honra:* honor.
[66] *hidalgo:* noble.

-Tú eres joven -me respondió- y no comprendes la importancia de la honra[65]. La honra es lo único que le queda a los hombres de bien. Yo soy un hidalgo[66], Lázaro, y además no soy tan pobre como parece. En mi tierra tengo algunas propiedades.

[67] *alquiler:* precio que se paga por utilizar algo.
[68] *real:* moneda de la época.

En ese momento entraron por la puerta un hombre y una vieja. El hombre le pidió el alquiler[67] de la casa y la vieja el de la cama. En total doce o trece reales[68]. Entonces él dijo que iba a ir a la plaza a cambiar una moneda de oro para poder pagar a cada uno lo suyo. Pero mi amo no volvió.

V. O. nº 17 en pág. 57

El hombre y la vieja volvieron por la tarde. Yo les dije que mi amo no había vuelto todavía. Luego por la noche tuve miedo de quedarme solo, así que me fui a casa de unos vecinos y les conté la historia.

***

El hombre y la vieja volvieron a la mañana siguiente y preguntaron por mi amo. Los vecinos respondieron:

-Aquí está su mozo y la llave de la puerta.

Ellos me preguntaron por el escudero y yo les dije que no sabía dónde estaba.

[69] *alguacil:* persona que representaba la administración de la justicia.

[70] *deuda:* aquí, dinero que se debe a una persona.

Entonces fueron a buscar a un alguacil[69]. Entraron con él en la casa buscando con qué pagar la deuda[70]. Pero no encontraron nada.

-¿Dónde están los muebles de esta casa? -me preguntaron.

-Yo no sé -contesté.

-Seguro que él y su amo los han escondido esta noche en algún sitio -dijeron el hombre y la vieja-. Señor alguacil, tiene usted que meter en prisión a este mozo porque él sabe dónde están.

El alguacil entonces me cogió por el cuello y me dijo:

-Muchacho, si no dices dónde están las cosas de tu amo, te llevo a prisión.

Tuve miedo y llorando le dije que respondería a sus preguntas.

-Está bien -dijo el alguacil- di todo lo que sabes y no tengas miedo.

-Señores -dije yo -, mi amo me contó que tenía algunas propiedades.

-Bien. ¿Y dónde las tiene?

-En Castilla la Vieja.

El alguacil se rio mucho y dijo:

-Quizás con esto podremos cobrar la deuda.

Los vecinos dijeron entonces:

-Señores, éste es sólo un niño inocente. Hace pocos días que vive con el escudero y no sabe mucho de él.

El alguacil al ver mi inocencia me dejó libre. Pidió al hombre y a la vieja el dinero por su trabajo y comenzaron a discutir porque éstos no querían pagar.

No sé cómo terminó todo aquello.

De esta manera me abandonó mi pobre tercer amo. Los criados suelen dejar a los amos, pero en mi caso fue mi amo quien me dejó a mí.

TRATADO CUARTO

Lázaro cuenta su historia con un fraile[71]

uve que buscar un cuarto amo y éste fue un fraile de la Merced. No le gustaban los trabajos de su oficio, ni comer en el convento[72]. Siempre estaba fuera haciendo visitas. Andaba tanto que rompía más zapatos que todo el convento. Él me dio los primeros zapatos que tuve en mi vida. Pero sólo me duraron ocho días y yo también acabé cansado. Por esta y otras razones le dejé.

[71] *fraile:* persona que pertenece a una orden religiosa.

[72] *convento:* casa donde viven los religiosos.

V. O. nº 19 en pág. 57

TRATADO QUINTO

Lázaro cuenta su vida con un buldero[73]

l quinto amo que tuve fue vendedor de bulas[74]. Era el hombre más listo y con menos vergüenza que he conocido en mi vida. Tenía mil maneras de vender las bulas.

Lo primero que hacía cuando tenía que presentar las bulas, era regalar algo a los clérigos. Así los tenía contentos y ellos le ayudaban a vender más bulas.

Cuando hablaba con los clérigos que sabían mucho, no les hablaba en latín para no equivocarse, sino en castellano. Pero si veía que tenían más dinero que estudios, hablaba dos horas en latín o en algo parecido.

Cuando la gente no compraba las bulas de buena gana, la obligaba a comprarlas de mala. Como es muy largo de contar todo lo que vi hacer, contaré sólo uno de los engaños. Así se verá su astucia.

[73] *buldero:* vendedor de bulas.

[74] *bula:* documento del Papa que concede ciertos privilegios.

***

Llevábamos dos o tres días en un pueblo de Toledo y nadie había comprado una bula. Mi amo estaba muy enfadado. Así que invitó al pueblo a venir al día siguiente a escucharle por última vez.

V. O. nº 21 en pág. 58

Aquella noche en el mesón, después de cenar, él y el alguacil que nos acompañaba se jugaron la bebida. Empezaron a discutir a causa del juego. Mi amo llamó ladrón[75] al alguacil y éste le acusó de vender bulas falsas.

[75] *ladrón:* persona que roba.

Al oír el ruido y los gritos, acudieron los dueños del mesón y los vecinos. Ellos se insultaron. El alguacil dijo a mi amo que sus bulas eran falsas. Y querían matarse entre sí. Finalmente la gente los separó y se llevó al alguacil a otro sitio.

A la mañana siguiente, mi amo fue a la iglesia y mandó llamar a la gente del pueblo para despedirse. La gente murmuraba[76] que según el alguacil las bulas eran falsas.

[76] *murmurar:* aquí, criticar en voz baja.

V. O. nº 22 en pág. 58

Mi amo entonces comenzó a hablar a la gente animándola a comprar las bulas. En ese momento entró por la puerta de la iglesia el alguacil y en voz alta comenzó a decir:

-Buena gente, escuchadme un momento. Yo vine a este pueblo con este mentiroso que os está hablando. Me dijo que si le ayudaba a vender bulas me daría una parte de las ganancias. Pero ahora estoy arrepentido[77] y os digo que las bulas son falsas. ¡No le creáis, ni las compréis!

Algunos hombres se levantaron y quisieron llevarse fuera de la iglesia al alguacil. Pero mi amo los paró y le dejó seguir hablando.

Cuando finalmente el alguacil terminó de hablar, mi amo dijo:

-Señor Dios, tú que todo lo ves y para quien nada es imposible; tú sabes la verdad y que este hombre miente. Yo le perdono y pido tu perdón, Señor. No mires a aquél que no sabe lo que hace ni lo que dice. Algunos sin duda pensaban comprar esta bula, pero al oír las falsas palabras, ya no lo harán. Por eso, Señor, haz que yo me muera si este hombre dice la verdad. Si no, castígale a él.

En ese instante el alguacil cayó al suelo dando gritos como si estuviese muy enfermo.

Las voces de la gente eran tan grandes que no se oían unos a otros. Unos decían: «El Señor le socorra». Otros «Se lo merece por mentiroso».

[77] *arrepentirse:* aquí, cambiar de opinión.

V. O. nº 22 en pág. 58

Finalmente, algunos hombres, con bastante miedo, le cogieron por los brazos y otros por las piernas durante un buen rato.

Mientras, mi amo rezaba mirando al cielo sin atender a las voces de la iglesia.

Los hombres se acercaron a él y le pidieron ayuda para el pobre alguacil. También le dijeron que ahora ya sabían quién decía la verdad.

Entonces mi amo, como despertando de un dulce sueño, muy suavemente les dijo:

-Buenos hombres, Dios me manda que no paguemos el mal con el mal y que perdonemos a los que nos insultan. ¡Que Dios le perdone! Vamos todos a pedírselo.

Después de rezar, mi amo puso la bula sobre la cabeza del alguacil. Éste empezó, poco a poco, a sentirse mejor. Luego pidió perdón a mi amo y confesó haber mentido.

Mi amo le perdonó y volvieron a ser amigos. Y luego todos se dieron prisa en comprar la bula. Nadie se quedó sin ella.

La noticia de lo que había ocurrido llegó a todos los pueblos cercanos. Cuando llegábamos no era necesa-

V. O. nº 23 en págs. 58-59

rio ir a la iglesia para vender la bula. Todos venían a buscarla al mesón donde estábamos. En diez o doce pueblos donde fuimos, mi amo vendió otras mil bulas.

Al principio yo también creí el engaño; pero luego al ver a mi amo y al alguacil reírse y burlarse, lo comprendí todo.

Finalmente, estuve con mi quinto amo cerca de cuatro meses, en los que también pasé muchas penas.

TRATADO SEXTO

Lázaro cuenta su vida con un capellán[78]

espués de esto, serví a un pintor. Yo le ayudaba a preparar los colores y también con él pasé mil penas.

Yo era ya en este tiempo un hombrecito. Un día entré en la iglesia mayor. Un capellán, al verme, me tomó como criado suyo. Me dio un asno[79] y cuatro jarros y empecé a pregonar[80] y vender agua por la ciudad. Éste fue el primer paso importante que di para mejorar en la vida. Desde entonces no volví a pasar hambre. Daba una parte de lo que ganaba a mi amo y yo me quedaba con lo demás.

V. O. nº 24 en pág. 59

Con suerte, al cabo de cuatro años en este oficio, ahorré[81] una buena cantidad de dinero. Me compré ropa, una capa y una espada.

Cuando me vi vestido como un hidalgo, le devolví su asno a mi amo porque yo ya no quería seguir en aquel trabajo.

[78] *capellán:* sacerdote.

[79] *asno:* animal del mismo tipo que el caballo pero más pequeño.

[80] *pregonar:* anunciar en voz alta (aquí, la mercancía que uno lleva para vender).

[81] *ahorrar:* guardar el dinero.

TRATADO SÉPTIMO

Lázaro cuenta su vida con un alguacil

espués de despedirme del capellán, fui a trabajar con un alguacil. Pero estuve poco tiempo con él porque el oficio me parecía peligroso.

Así que me puse a pensar en la mejor manera de vivir tranquilamente y tener algún dinero para los últimos años de mi vida. Y quiso Dios ponerme en el mejor camino porque conseguí un oficio real[82] y sólo las personas que tienen uno viven bien.

En este tiempo el Arcipreste de San Salvador[83], mi señor y amigo de vuestra merced, oyó hablar de mí. Quiso casarme con una criada suya y yo acepté.

Me casé con ella y hasta ahora estoy contento porque es una buena muchacha y una buena criada.

Pero nunca faltan malas lenguas[84] para criticar. Decían que veían a mi mujer entrar y salir de casa del Arcipreste.

[82] *oficio real:* aquí, oficio público; funcionariado.

[83] *San Salvador:* importante iglesia de Toledo.

[84] *malas lenguas:* personas que critican a otras.

V. O. nº 25 en pág. 59

De todas formas mi mujer no es de las que engañan a sus maridos y así me lo ha dicho mi señor:

-Lázaro, no hay que hacer caso de las malas lenguas. Tu mujer viene a trabajar a mi casa y no pone en peligro ni tu honra ni la suya.

-Señor -le dije yo-, es verdad que algunos de mis amigos me han dicho algunas cosas de ésas y también que mi mujer había tenido más de tres hijos antes de casarse, con todos los respetos para vuestra merced.

Entonces mi mujer se puso a gritar y a llorar. Yo me arrepentí de lo que había dicho. Le prometí que no volvería a hablar de aquello y que ella podía entrar y salir de noche y de día de casa del Arcipreste. Así quedamos todos contentos.

Todo esto sucedió el año en que nuestro emperador[85] entró en esta gran ciudad de Toledo y hubo Cortes[86] y muchas fiestas como vuestra merced seguramente sabe.

[85] *nuestro emperador:* se trata de Carlos I de España y V de Alemania.

[86] *Cortes:* antiguas Juntas Generales para asuntos de Estado. Éstas son, quizás, de 1538.

en pág. 59

V. O. nº 26

V. O. nº 1, de págs. 7-8

Yo por bien tengo que cosas tan señaladas y por ventura nunca oídas ni vistas, vengan a noticia de muchos y no se entierren en la sepultura del olvido, pues podría ser que alguno que las lea halle algo que le agrade [...]. Mayormente, que los gustos no son todos unos [...]; y así vemos cosas tenidas en poco de algunos que de otros no lo son. [...]; porque, si así no fuese, muy pocos escribirían para uno solo, pues no se hace sin trabajo, y quieren, ya que lo pasan, ser recompensados, no con dineros, mas con que vean y lean sus obras y, si hay de qué, se las alaben.[...]

Y pues Vuestra Merced escribe se le escriba y relate el caso muy por extenso, parescióme no tomalle por el medio, sino del principio, porque se tenga entera noticia de mi persona [...].

***

V. O. nº 2, de pág. 9

Pues sepa Vuestra Merced, ante todas cosas, que a mí llaman Lázaro de Tormes, hijo de Tomé González y de Antona Pérez, naturales de Tejares, aldea de Salamanca. Mi nascimiento fue dentro del río Tormes, por la cual causa tomé el sobrenombre [...].

***

V. O. nº 3, de pág. 10

En este tiempo vino a posar al mesón un ciego, el cual, paresciéndole que yo sería para adestralle, me pidió a mi madre, y ella me encomendó a él, [...]. Y así le comencé a servir y adestrar a mi nuevo y viejo amo.

***

V. O. nº 4, de pág. 11

Salimos de Salamanca, y, llegando a la puente, está a la entrada della un animal de piedra que casi tiene forma de toro, y el ciego mandóme que llegase cerca del animal, y, allí puesto, me dijo:

-Lázaro, llega el oído a este toro y oirás gran ruido dentro dél.

Yo, simplemente, llegué, creyendo ser ansí. Y, como sintió que tenía la cabeza par de la piedra, afirmó recio la mano y diome una gran calabazada en el diablo del toro, que más de tres días me duró el dolor de la cornada, y díjome:

-Necio, aprende: que el mozo del ciego un punto ha de saber más que el diablo.

***

V. O. nº 5, de pág. 13

Mas también quiero que sepa Vuestra Merced que, con todo lo que adquiría y tenía, jamás tan avariento ni mezquino hombre no vi; tanto, que me mataba a mí de hambre [...].

***

V. O. nº 6, de págs. 13-14

Usaba poner cabe sí un jarrillo de vino, cuando comíamos, y yo muy de presto le asía y daba un par de besos callados y tornábale a su lugar; mas turóme poco, que en los tragos conocía la falta, y, por reservar su vino a salvo, nunca después desamparaba el jarro, antes lo tenía por el asa asido. [...]

Yo, como estaba hecho al vino, moría por él y, viendo que aquel remedio de la paja no me aprovechaba ni valía, acordé en el suelo del jarro hacerle una fuentecilla y agujero sotil, y delicadamente, con una muy delgada tortilla de cera, taparlo, y, al tiempo de comer, fingiendo haber frío, entrábame entre las piernas del triste ciego a calentarme en la pobrecilla lumbre que teníamos, y, al calor della, luego derretida la cera, por ser muy poca, comenzaba la fuentecilla a destilarme en la boca, la cual yo de tal manera ponía, que maldita la gota se perdía. Cuando el pobreto iba a beber, no hallaba nada. Espantábase, maldecíase, daba al diablo el jarro y el vino, no sabiendo qué podía ser.

-No diréis, tío, que os lo bebo yo -decía-, pues no le quitáis de la mano.

***

V. O. nº 7, de págs. 15-16

Y porque vea Vuestra Merced a cuánto se estendía el ingenio deste astuto ciego, contaré un caso de muchos que con él me acaescieron, en el cual me parece dio bien a entender su gran astucia. [...]

Acaesció que, llegando a un lugar que llaman Almorox al tiempo que cogían las uvas, un vendimiador le dio un racimo dellas en limosna. [...]

Acordó de hacer un banquete, ansí por no lo poder llevar como por contentarme, que aquel día me había dado muchos rodillazos y golpes. Sentámonos en un valladar y dijo:

-Agora quiero usar contigo de una liberalidad, y es que ambos comamos este racimo de uvas y que hayas dél tanta parte como yo. Partillo hemos desta manera: tu picarás una vez y yo otra, con tal que me prometas no tomar cada vez más de una uva. Yo haré lo mesmo hasta que lo acabemos, y desta suerte no habrá engaño.

Hecho ansí el concierto, comenzamos; mas luego, al segundo lance, el traidor mudó propósito y comenzó a tomar de dos en dos, considerando que yo debería hacer lo mismo. Como vi que él quebraba la postura, no me contenté ir a la par con él, mas aún pasaba adelante: dos a dos y tres a tres y, como podía, las comía. Acabado el racimo, estuvo un poco con el escobajo en la mano y, meneando la cabeza, dijo:

-Lázaro, engañado me has. Juraré yo a Dios que has tú comido las uvas tres a tres.

-No comí -dije yo-; mas ¿por qué sospecháis eso?

Respondió el sagacísimo ciego:

-¿Sabes en qué veo que las comiste tres a tres? En que comía yo dos a dos y callabas.

Reíme entre mí, y aunque mochacho, noté mucho la discreta consideración del ciego.

***

> **V. O. nº 8, de págs. 19-20**

Visto esto y las malas burlas que el ciego burlaba de mí, determiné de todo en todo dejalle [...]. Y fue ansí, que luego otro día salimos por la villa a pedir limosna, y había llovido mucho la noche antes. Y porque el día también llovía, y andaba rezando debajo de unos portales que en aquel pueblo había, donde no nos mojamos, mas como la noche se venía y el llover no cesaba, díjome el ciego:

-Lázaro, esta agua es muy porfiada, y cuanto la noche más cierra, más recia. Acojámonos a la posada con tiempo.

Para ir allá habíamos de pasar un arroyo, que con la mucha agua iba grande. Yo le dije:

-Tío, el arroyo va muy ancho; mas, si queréis, yo veo por donde travesemos más aína sin nos mojar, porque se estrecha allí mucho y, saltando pasaremos a pie enjuto.

Parescióle buen consejo, y dijo:

-Discreto eres, por esto te quiero bien. Llévame a ese lugar donde el arroyo se ensangosta, que agora es invierno y sabe mal el agua, y más llevar los pies mojados. [...]

-Tío, éste es el paso más angosto que en el arroyo hay. [...]

-Ponme bien derecho y salta tú el arroyo.

Yo le puse bien derecho enfrente del pilar, y doy un salto y póngome detrás del poste, como quien espera tope de toro, y díjele:

-¡Sus, saltá todo lo que podáis, por que deis de este cabo del agua!

Aun apenas lo había acabado de decir, cuando se abalanza el pobre ciego como cabrón y, de toda su fuerza, arremete, tomando un paso atrás de la corrida para hacer mayor salto, y da con la cabeza en el poste, que sonó tan recio como si diera una gran calabaza, y cayó luego para atrás medio muerto y hendida la cabeza.

-¿Cómo, y olistes la longaniza y no el poste? ¡Olé! ¡Olé! -le dije yo.

Y déjole en poder de mucha gente que lo había ido a socorrer, y tomo la puerta de la villa en los pies de un trote, y, antes de que la noche viniese, di conmigo en Torrijos. No supe más lo que Dios dél hizo ni curé de lo saber.

***

V. O. nº 9, de pág. 21

Otro día, no pareciéndome estar allí seguro, fuime a un lugar que llaman Maqueda, adonde me toparon mis pecados con un clérigo, que, llegando a pedir limosna, me preguntó si sabía ayudar a misa. [...]

Escapé del trueno y di en el relámpago, porque era el ciego para con éste un Alexandre Magno, con ser la misma avaricia, como he contado. [...]

Él tenía un arcaz viejo y cerrado con su llave, la cual traía atada con una agujeta del paletoque; y en viniendo el bodigo de la iglesia, por su mano era luego allí lanzado y tornada a cerrar el arca.

***

V. O. nº 10, de pág. 22

A cabo de tres semanas que estuve con él, vine a tanta flaqueza, que no me podía tener en las piernas de pura hambre. Vime claramente ir a la sepultura, si Dios y mi saber no me remediaran.

***

V. O. nº 11, de pág. 23

Pues estando en tal aflicción, cual plega al Señor librar della a todo fiel cristiano, y sin saber darme consejo, viéndome ir de mal en peor, un día quel cuitado, ruin y lacerado de mi amo había ido fuera del lugar, llegóse acaso a mi puerta un calderero, el cual yo creo que fue ángel enviado a mí por la mano de Dios en aquel hábito. Preguntóme si tenía algo que adobar. [...]

-Tío, una llave deste arcaz he perdido, y temo mi señor me azote. Por vuestra vida, veáis si en esas que traéis hay alguna que le haga, que yo os lo pagaré.

Comenzó a probar el angélico calderero una y otra de un gran sartal que dellas traía, y yo ayudalle con mis flacas oraciones. Cuando no me cato, veo en figura de panes, como dicen, la cara de Dios dentro del arcaz.

***

Y otro día, en saliendo de casa, abro mi paraíso panal y tomo entre las manos y dientes un bodigo y en dos credos le hice invisible, no se me olvidando el arca abierta. [...] Y así estuve con ello aquel día y otro gozoso.

Mas no estaba en mi dicha que me durase mucho aquel descanso, porque luego, al tercero día, me vino la terciana derecha. [...]

-Si no tuviera a tan buen recaudo esta arca, yo dijera que me habían tomado della panes; pero de hoy más, sólo por cerrar la puerta a la sospecha, quiero tener buena cuenta con ellos: nueve quedan y un pedazo. [...]

Mas el mesmo Dios, que socorre a los afligidos, viéndome en tal estrecho, trujo a mi memoria un pequeño remedio: que, considerando entre mí, dije: «Este arquetón es viejo y grande y roto por algunas partes, aunque pequeños agujeros. Puédese pensar que ratones, entrando en él, hacen daño a este pan. Sacarlo entero no es cosa conveniente, porque verá la falta el que en tanta me hace vivir. Esto bien se sufre.»

***

Y luego me vino otro sobresalto, que fue verle andar solícito quitando clavos de las paredes y buscando tablillas, con las cuales clavó y cerró todos los agujeros de la vieja arca. [...]

Luego buscó prestada una ratonera, y, con cortezas de queso que a los vecinos pedía, contino el gato estaba armado dentro del arca. [...]

Como hallase el pan ratonado y el queso comido, y no cayese en ratón que lo comía, dábase al diablo [...]. Acordaron los vecinos no ser el ratón el que este daño hacía, porque no fuera menos de haber caído alguna vez. Díjole un vecino:

-En vuestra casa yo me acuerdo que solía andar una culebra, y ésta debe de ser, sin dubda [...].

Cuadró a todos lo que aquél dijo y alteró mucho a mi amo, y dende en adelante no dormía tan a sueño suelto, que cualquier gusano de madera que de noche sonase, pensaba ser la culebra que le roía el arca. Luego era puesto en pie y, con un garrote que a la cabecera, desde que aquello le dijeron, ponía, daba en la pecadora del arca grandes garrotazos, pensando espantar la culebra. [...]

Yo hube miedo que con aquellas diligencias no me topase con la llave, que debajo de las pajas tenía, y parescióme lo más seguro metella de noche en la boca [...].

Quisieron mis hados, o por mejor decir, mis pecados, que, una noche que estaba durmiendo, la llave se me puso en la boca, que abierta debía tener, de tal manera y postura, que el aire y resoplo que yo durmiendo echaba, salía por lo hueco de la llave, que de cañuto era, y silbaba, según mi desastre quiso, muy recio, de tal manera que el sobresaltado de mi amo lo oyó y creyó sin duda ser el silbo de la culebra, y, cierto, lo debía parescer.

Levantóse muy paso, con su garrote en la mano, y, al tiento y sonido de la culebra, se llegó a mí con mucha quietud, por no ser sentido de la culebra. [...]

Levantando bien el palo, pensando tenerla debajo y darle tal garrotazo que la matase, con toda su fuerza me descargó en la cabeza un tan gran golpe, que sin ningún sentido y muy mal descalabrado me dejó. [...]

A cabo de tres días yo torné en mi sentido y vime echado en mis pajas, la cabeza toda emplastada y llena de aceites y ungüentos [...].

Luego otro día que fui levantado, el señor mi amo me tomó por la mano y sacóme la puerta fuera, y, puesto en la calle, díjome:

-Lázaro, de hoy más eres tuyo y no mío. Busca amo y vete con Dios, que yo no quiero en mi compañía tan diligente servidor.

***

V. O. nº 14, de pág. 29

Andando así discurriendo de puerta en puerta, con harto poco remedio, porque ya la caridad se subió al cielo, topóme Dios con un escudero que iba por la calle con razonable vestido, bien peinado, su paso y compás en orden. Miróme, y yo a él, y díjome:

-Mochacho, ¿buscas amo?

Y yo le dije:

-Sí, señor.

-Pues vente tras mí -me respondió-, que Dios te ha hecho merced en topar conmigo; alguna buena oración rezaste hoy.

Y seguíle, dando gracias a Dios por lo que le oí, y también que me parescía, según su hábito y continente, ser el que yo había menester...

***

V. O. nº 15, de pág. 31

-Tú, mozo, ¿has comido?

-No, señor -dije yo-, que aún no eran dadas las ocho cuando con Vuestra Merced encontré.

-Pues, aunque de mañana, yo había almorzado, y, cuando ansí como algo, hágote saber que hasta la noche me estoy ansí. Por eso, pásate como pudieres, que después cenaremos [...].

-Señor, mozo soy que no me fatigo mucho por comer, bendito Dios. Deso me podré yo alabar entre todos mis iguales por de mejor garganta, y ansí fui yo loado della hasta hoy día de los amos que yo he tenido.

-Virtud es ésa -dijo él-, y por eso te querré yo más, porque el hartar es de los puercos, y el comer regladamente es de los hombres de bien.

«¡Bien te he entendido! -dije yo entre mí-. ¡Maldita tanta medicina y bondad como aquestos mis amos que yo hallo hallan en la hambre!»

***

V. O. nº 16, de pág. 37

Contemplaba yo muchas veces mi desastre, que, escapando de los amos ruines que había tenido y buscando mejoría, viniese a topar con quien no sólo no me mantuviese, mas a quien yo había de mantener. Con todo, le quería bien, con ver que no tenía ni podía más, y antes le había lástima que enemistad.

***

V. O. nº 17, de pág. 38

Pues, estando en esto, entró por la puerta un hombre y una vieja. El hombre le pide el alquiler de la casa y la vieja el de la cama. Hacen cuenta, y, de dos en dos meses, le alcanzaron lo que él en un año no alcanzara. Pienso que fueron doce o trece reales. Y él les dio muy buena respuesta: que saldría a la plaza a trocar una pieza de a dos y que a la tarde volviesen; mas su salida fue sin vuelta.

***

V. O. nº 18, de pág. 40

Así, como he contado, me dejó mi pobre tercero amo, do acabé de conocer mi ruin dicha, pues, señalándose todo lo que podría contra mí, hacía mis negocios tan al revés, que los amos, que suelen ser dejados de los mozos, en mí no fuese ansí, mas que mi amo me dejase y huyese de mí.

***

V. O. nº 19, de pág. 41

Hube de buscar el cuarto, y éste fue un fraile de la Merced, que las mujercillas que digo me encaminaron, al cual ellas le llamaban pariente. [...]

Éste me dio los primeros zapatos que rompí en mi vida; mas no me duraron ocho días, ni yo pude con su trote durar más. Y por esto, y por otras cosillas que no digo, salí dél.

***

V. O. nº 20, de pág. 42

En el quinto por mi ventura di, que fue un buldero, el más desenvuelto y desvergonzado, y el mayor echador dellas que jamás yo vi ni ver es-

pero, ni pienso nadie vio, porque tenía y buscaba modos y maneras y muy so-
tiles invenciones.

***

V. O. nº 21, de pág. 43

En un lugar de La Sagra de Toledo había predicado dos o tres días, haciendo sus acostumbradas diligencias, y no le habían tomado bula ni, a mi ver, tenían intención de se la tomar. Estaba dado al diablo con aquello y, pensando qué
hacer, se acordó de convidar al pueblo, para otro día de mañana despedir la bula.

***

V. O. nº 22, de págs. 43-44

La mañana venida, mi amo se fue a la iglesia y mandó tañer a misa y
al sermón para despedir la bula. [...]

El señor comisario se subió al púlpito, y comienza su sermón, y a animar
la gente a que no quedase sin tanto bien y indulgencia como la sancta bula traía.

Estando en lo mejor del sermón, entra por la puerta de la iglesia el alguacil y, desque hizo oración, levantóse y, con voz alta y pausada, cuerda-
mente comenzó a decir:

—Buenos hombres, oídme una palabra, que después oiréis a quien qui-
sierdes. Yo vine aquí con este echacuervo que os predica, el cual me engañó y
dijo que le favoresciese en este negocio, y que partiríamos la ganancia. Y agora, visto el daño que haría a mi consciencia y a vuestras haciendas, arrepentido
de lo hecho, os declaro claramente que las bulas que predica son falsas, y que
no le creáis ni las toméis [...].

El señor comisario se hincó de rodillas en el púlpito y, puestas las
manos y mirando al cielo, dijo ansí:

—Señor Dios, a quien ninguna cosa es escondida, antes todas mani-
fiestas, y a quien nada es imposible, antes todo posible: Tú sabes la verdad y
cuán injustamente yo soy afrentado [...]. Y pues es tanto perjuicio del prójimo,
te suplico yo, Señor, no lo disimules; mas luego muestra aquí milagro [...].

Apenas había acabado su oración el devoto señor mío, cuando el negro alguacil cae de su estado y da tan gran golpe en el suelo, que la iglesia toda hizo resonar, y comenzó a bramar y echar espumajos por la boca [...].

***

V. O. nº 23, de págs. 45-46

—Buenos hombres, vosotros nunca habíades de rogar por un hombre en
quien Dios tan señaladamente se ha señalado [...] y su Majestad perdone a éste,
que le ofendió poniendo en su sancta fe obstáculo. Vamos todos a suplicalle. [...]

Y esto hecho, mandó traer la bula y púsosela en la cabeza. Y luego el pecador del alguacil comenzó poco a poco a estar mejor y tornar en sí. [...]

El señor mi amo le perdonó y fueron hechas las amistades entre ellos. Y a tomar la bula hubo tanta priesa, que casi ánima viviente en el lugar no quedó sin ella: marido y mujer, y hijos y hijas, mozos y mozas. [...]

Cuando se hizo el ensayo, confieso mi pecado, que también fui dello espantado, y creí que ansí era, como otros muchos; mas con ver después la risa y burla que mi amo y el alguacil llevaban y hacían del negocio, conocí cómo había sido industriado por el industrioso y inventivo de mi amo.

***

V. O. nº 24, de pág. 47

Después desto, asenté con un maestro de pintar panderos, para molelle los colores, y también sufrí mil males.

Siendo ya en este tiempo buen mozuelo, entrando un día en la iglesia mayor, un capellán de ella me recibió por suyo; y púsome en poder un buen asno y cuatro cántaros y un azote, y comencé a echar agua por la cibdad. Éste fue el primer escalón que yo subí para venir a alcanzar buena vida, porque mi boca era medida.

***

V. O. nº 25, de pág. 48

Despedido del capellán, asenté por hombre de justicia con un alguacil. Mas muy poco viví con él, por parescerme oficio peligroso. [...]

Y pensando en qué modo de vivir haría mi asiento, por tener descanso y ganar algo para la vejez, quiso Dios alumbrarme y ponerme en camino y manera provechosa. Y con favor que tuve de amigos y señores, todos mis trabajos y fatigas hasta entonces pasados fueron pagados con alcanzar lo que procuré, que fue un oficio real, viendo que no hay nadie que medre, sino los que le tienen. [...]

En este tiempo, viendo mi habilidad y buen vivir, teniendo noticia de mi persona el señor arcipreste de Sant Salvador, mi señor, y servidor y amigo de Vuestra Merced, porque le pregonaba sus vinos, procuró casarme con una criada suya. Y visto por mí que de tal persona no podía venir sino bien y favor, acordé de lo hacer.

***

V. O. nº 26, de pág. 49

Esto fue el mesmo año que nuestro victorioso emperador en esta insigne ciudad de Toledo entró y tuvo en ellas Cortes y se hicieron grandes regocijos y fiestas, como Vuestra Merced habrá oído.

Tareas • Tareas

Tu diccionario

Nivel I, hasta 600 entradas en la obra adaptada.

abajo *under*
abandonar *abandon*
abierto,a *open*
abrir *to open*
acabar *to have just*
aceptar *to accept*
acercar *to get closer to*
acompañar *to accompany*
acordar *to agree*
acostarse *to become ↓ to*
acostumbrado, a *accustomed*
acudir
acusar *to accuse*
además *besides, furthermore*
adivinar *to guess*
admiración (la) *admiration*
agradar
agua (el) *water*
agujero (el)
ahora *now*
ahorrar *to save money*
aire (el) *air*
alargar *to grow bigger*
al cabo de
al contrario
alguacil (el)
alguien; alguno, a; algo *someone*

alimentar; alimento (el)

allí *there*
alquiler (el) *to rent*
alto, a *high, tall*
amigo, a (el,la) *friend*
amo, a (el,la) *love*
amor (el) *to love*
ancho, a
andar *to walk*
animal (el) *animal*
animar
anoche *last night*
anterior
antes *before*
año (el) *year*
aparecer *to appear*
apartar
aprender *to learn*

aquel, aquello, a
aquí
arca (el)
arreglar
arrepentirse
arriba
arroyo (el)
así
asno (el)
astucia (la); astuto, a

atender
atraer
atrás
atreverse
aunque
avaro, a (el, la)
aventura (la)
ayer
ayudar; ayuda (la)

bajar
barrer
barro (el)
bastante
beber; bebida (la)

bien
blanco, a
boca (la)
bonito, a
brazo (el)
buen (o), a
bula (la)
burlarse; burla (la)

buscar
caballero (el); caballo (el)

cada
caer
calderero (el)
calentarse
callar
calle (la)
calor (el,la)
cama (la)
cambiar

Tu diccionario

camino (el) ....

cansado, a ....

cantidad (la) ....

capa (la) ....

capaz ....

capellán (el) ....

cara (la) ....

carne (la) ....

casa (la) ....

casarse ....

casi ....

caso (el) ....

castellano, a ....

castigar ....

causa (la) ....

caer ....

cebolla (la) ....

cenar ....

cera (la) ....

cerca; cercano, a ....

....

cerrar ....

ciego, a (el, la) ....

cielo (el) ....

cierto, a ....

ciudad (la) ....

clase (la) ....

clérigo (el) ....

cobrar ....

coger ....

colchón (el) ....

colocar ....

color (el) ....

comenzar ....

comer; comida (la) ....

....

como ....

comparado, a ....

compartir ....

comprar ....

comprender ....

confesar ....

conocer ....

conseguir ....

consejo (el) ....

consolarse ....

contar; cuenta (la) ....

....

contento, a ....

contestar ....

convencer ....

convento (el) ....

corazón (el) ....

correr ....

cortar ....

cosa (la) ....

coser ....

costumbre (la) ....

creer ....

criado, a (el,la) ....

criar ....

criticar ....

cruzar ....

cualquier, a ....

cuando ....

cuanto, a ....

cuchillo (el) ....

cuello (el) ....

cuerpo (el) ....

cuidar; cuidado (el) ....

....

culebra (la) ....

curar ....

daño (el) ....

dar ....

debajo ....

deber ....

débil ....

decidir ....

decir ....

definitivamente ....

dejar ....

demasiado ....

dentro ....

deprisa ....

derecho, a ....

de repente ....

derretirse ....

desaparecer ....

descoser ....

desear ....

desmayo (el) ....

despacio ....

despedirse ....

despertar ....

después ....

Tu diccionario

Nivel I, hasta 600 entradas en la obra adaptada.

detalle (el) ....
detrás ....
deuda (la) ....
devolver ....
dar ....
día (el) ....
diablo (el) ....
diente (el) ....
dinero (el) ....
Dios ....
discutir ....
disimular ....
divertirse; divertido, a ....
....
doler; dolor (el) ....
....
dormir ....
duda (la) ....
dueño, a (el,la) ....
durante ....
durar ....
duro, a ....
echar ....
edad (la) ....
elegante ....
emperador, emperatriz (el, la) ....
empezar ....
encima ....
encontrarse ....
en efecto ....
enfadarse ....
enfermo, a ....
enfrente ....
engañar; engaño (el) ....
....
enseguida ....
enseñar ....
enterarse ....
entero, a ....
entonces ....
entrar; entrada (la) ....
....
enviar ....
equivocarse ....
escoba (la) ....
escondido, a ....
escribir; escritor, -a (el, la) ....
....

escuchar ....
escudero (el) ....
ese, a, o ....
espada (la) ....
esperar ....
estar ....
este, a, o ....
estilo (el) ....
estómago (el) ....
estrecho, a ....
estudiante (el, la); estudio (el) ....
exacto, a; exactamente ....
explicar ....
extraordinario, a ....
fácil ....
falso, a ....
faltar; falta (la) ....
felicidad (la); feliz ....
....
fiarse ....
fiesta (la) ....
fin (el); final (el); finalmente ....
....
forma (la) ....
fraile (el) ....
frío (el) ....
fuego (el) ....
fuera ....
fuerza (la); fuerte ....
....
furioso, a ....
ganar; ganancia (la) ....
....
ganas (las) ....
gastar ....
generoso, a ....
gente (la); gentilmente ....
....
golpe (el) ....
gracia (la) ....
gran (de) ....
gritar; grito (el) ....
....
guardar ....
guerra (la) ....

guiar; guía (el, la) ....

gustar; gusto (el) ....

haber ....

habitación (la) ....

hablar ....

hacer ....

hambre (el) ....

herida (la) ....

hermano, a (el,la) ....

hidalgo (el) ....

hijo, a (el, la) ....

historia (la) ....

hombre (el) ....

hombro (el) ....

honra (la) ....

hora (la) ....

hoy ....

hueso (el) ....

humilde ....

iglesia (la) ....

igual ....

importancia (la); importante ....

imposible ....

incluso ....

infeliz ....

ingenio (el) ....

inocencia (la); inocente; inocentemente ....

instante (el) ....

insultar ....

inteligencia (la) ....

interés (el) ....

invierno (el) ....

invitar ....

ir ....

jarro (el) ....

joven (el,la) ....

jugar; juego (el) ....

juicio (el) ....

lado (el) ....

ladrón, -a (el, la) ....

largo, a ....

latín (el) ....

lavarse ....

leer; lector, -a (el,la); lectura (la) ....

lejos ....

lengua (la); lenguaje (el) ....

lento, a ....

leña (la) ....

levantar ....

libre ....

limosna (la) ....

limpiar ....

listo, a ....

llamar ....

llave (la) ....

llegar ....

lleno, a ....

llevar ....

llorar ....

llover; lluvia (la) ....

longaniza (la) ....

luchar ....

luego ....

lugar (el) ....

luz (la) ....

madera (la) ....

madre (la) ....

maestro, a (el, la) ....

mal (el); malo, a ....

maldecir ....

mandar ....

manera (la) ....

mano (la) ....

mañana (la) ....

marcharse ....

marido (el) ....

más ....

matar ....

mayor ....

medicina (la) ....

medio ....

mediodía (el) ....

mejorar; mejor ....

memoria (la) ....

Tu diccionario

Nivel I, hasta 600 entradas en la obra adaptada.

menos ....

mente (la) ....

mentir; mentiroso, a ....
....

merced (la) ....

merecer; mérito (el) ....
....

mes (el) ....

mesa (la) ....

mesón (el) ....

meter ....

mezquindad (la) ....

miedo (el) ....

mientras ....

miga (la) ....

mirar ....

misa (la) ....

miserable ....

mismo, a ....

mitad (la) ....

mojarse ....

molino (el) ....

momento (el) ....

moneda (la) ....

morder ....

morir; muerte (la) ....
....

mover ....

mozo, a (el,la) ....

muchacho, a (el,la) ....

mucho, a ....

mueble (el) ....

mujer (la) ....

mundo (el) ....

murmurar ....

muy ....

nabo (el) ....

nacer ....

nada; nadie ....

nariz (la) ....

necesitar; necesario, a ....
....

negar ....

negro, a (el,la) ....

ningún (o), a ....

niño, a (el,la) ....

noble (el,la) ....

noche (la) ....

nombre (el) ....

notar ....

noticia (la) ....

nuevo, a ....

nunca ....

obligar ....

ocasión (la) ....

ocultar ....

ocurrir ....

oficio (el) ....

ofrecer ....

oír ....

ojo (el) ....

oler ....

olvidar ....

oración (la) ....

oro (el) ....

oscuro, a ....

otro, a ....

padre (el) ....

pagar ....

paja (la) ....

palabra (la) ....

palo (el) ....

pan (el) ....

par (el) ....

paraíso (el) ....

parar ....

parecer ....

pared (la) ....

partir; parte (la) ....
....

pasar; pasearse ....
....

paso (el) ....

patio (el) ....

pedir ....

peligro (el); peligroso, a ....
....

pena (la) ....

pensar ....

peor ....

pequeño, a ....

perder ....

perdonar; perdón (el) ....
....

persona (la); personaje (el) ....
....

pie (el) ....

piedra (la) ....

pierna (la) ....

pilar (el) ....

pintor, -a (el,la) ....

plata (la) ....

plaza (la) ....

pobre ....

poco, a ....

poder ....

poner ....

porque ....

portal (el) ....

posible ....

poste (el) ....

preferir ....

pregonar ....

preguntar; pregunta (la) ....

....

preocupar ....

preparar ....

presentar; presente ....

....

principio (el) ....

prisa (la) ....

prisión (la) ....

probar ....

producir ....

prólogo (el) ....

prometer ....

pronto ....

propiedad (la) ....

provecho (el) ....

próximo, a ....

pueblo (el) ....

puente (el) ....

puerta (la) ....

punto (el) ....

quedar ....

querer ....

queso (el) ....

quitar ....

quizás ....

racimo (el) ....

rapidez (la); rápidamente ....

....

raro, a ....

rato (el) ....

ratón (el); ratonera (la) ....

....

razón (la) ....

real ....

recoger ....

recompensa (la) ....

recordar ....

recuperar ....

regalar ....

reír ....

relación (la) ....

reloj (el) ....

remedio (el) ....

respetar; respeto (el) ....

....

respirar ....

responder ....

rezar ....

rico, a (el,la); riquísimo, a ....

....

río (el) ....

robar ....

romper ....

ropa (la) ....

ruido (el) ....

saber ....

sacar ....

saco (el) ....

salir ....

saltar; salto (el) ....

....

saludar ....

salvar ....

seguir ....

según ....

seguro; seguramente ....

....

semana (la) ....

señor, -a (el, la) ....

sentarse ....

sentir; sentido (el) ....

....

separar ....

sepultura (la) ....

ser ....

serpiente (la) ....

servir; servicio (el) ....

....

siempre ....

siguiente ....

silencio (el) ....

silla (la) ....

simpleza (la) ....

sin embargo ....

sitio (el) ....

situación (la) ....

sobrenombre (el) ....

sobrevivir ....

social ....

socorrer ....

soler ....

solo, a; solamente ....

....

soltar ....

solución (la) ....

sombrero (el) ....

sonreír ....

sopa (la) ....

sorprendido, a ....

suave; suavemente ....

....

subir ....

suceder ....

sucio, a ....

suelo (el) ....

sueño (el) ....

suerte (la) ....

tabla (la) ....

tal ....

tampoco ....

tan, tanto, a ....

tapar ....

tarde ....

tener ....

terminar ....

tiempo (el) ....

tierra (la) ....

tipo (el) ....

tocar ....

todavía ....

todo, a ....

tomar ....

tonto,a (el,la) ....

toro (el) ....

total ....

trabajar; trabajo (el) ....

....

traer ....

trago (el) ....

traidor, -a (el, la) ....

tranquilo, a; tranquilamente ....

....

tratar; tratado (el) ....

tripa (la) ....

triste ....

triunfar ....

trozo (el) ....

último, a ....

único, a ....

usted ....

uva (la) ....

valer; valor (el) ....

....

vanidad (la) ....

varios, as ....

vecino, a (el,la) ....

ver ....

vez (la) ....

venir ....

vender; vendedor, -a (el,la) ....

....

vendimia (la) ....

verdad (la); verdaderamente ....

....

vergüenza (la) ....

vestirse ....

vida (la) ....

viejo, a ....

vino (el) ....

visita (la) ....

viudo, a (el, la) ....

vivir ....

volver; vuelta (la) ....

....

voz (la) ....

vuestro, a ....

zapato (el) ....

Guía de comprensión lectora.

1. ¿Con qué fin ha escrito el libro Lázaro? ....

....

2. ¿Por qué todo el mundo le llama Lázaro de «Tormes»? ....

....

3. ¿Cuál fue el primer oficio de Lázaro? ....

....

4. ¿Qué opinión tiene el ciego de su criado? ....

....

5. ¿Y éste de su amo? ....

....

6. ¿Cómo abandona Lázaro al ciego? ....

....

7. ¿Qué semejanzas y diferencias tiene el segundo amo de Lázaro con el primero? ....

....

8. ¿De qué maneras consigue Lázaro abrir el arca del clérigo? ....

....

9. ¿Cómo descubre el clérigo el engaño de Lázaro? ....

....

10. ¿Por qué Lázaro muestra consideración hacia el hidalgo y no le odia como a los otros? ....

....

11. ¿Qué es lo que no le gusta a Lázaro de su tercer amo? ....

....

12. ¿Cuál es el oficio del quinto amo de Lázaro? ....

....

13. ¿Cuál es la finalidad de la pelea en el mesón entre el buldero y el alguacil? ....

....

14. ¿Cuales son las experiencias que más influyen en la formación del carácter de Lázaro? ....

....

15. ¿Es lógico que Lázaro esté contento con la situación que consigue al final? ¿Es feliz con su mujer? ....

....

Escribe tu ficha RESUMEN

Pág.

Presentación de la colección 3

El Lazarillo de Tormes 4

Obra adaptada 5

Selección en V.O. 50

Tu diccionario 61

Guía de comprensión lectora 68

Escribe tu ficha Resumen 69